À Jean-Charles Mounier

ISBN 978-2-211-21069-0
© 2013, l'école des loisirs, Paris, pour la présente édition
dans la collection «Minimax»
© 2011, l'école des loisirs, Paris
Loi numéro 49 956 du 16 juillet 1949 sur les publications
destinées à la jeunesse : octobre 2011
Dépôt légal : février 2013
Imprimé en France par CPI Aubin Imprimeur à Ligugé

Édition spéciale non commercialisée en librairie

Fabienne Mounier et Daniel Hénon

Je m'appelle Pouët

l'école des loisirs
11, rue de Sèvres, Paris 6ᵉ

Je m'appelle Pouët et je suis un chien.

Je vis dans un chenil plein de chiens costauds et optimistes.
« Moi », disait l'un, « quand je serai grand, je garderai les bêtes. »
« Moi », disait l'autre, « je défendrai mon maître contre
les intrus et les voleurs. »
« Et moi, qui suis tout petit et très angoissé », me demandais-je,
« à quoi pourrais-je bien être utile ? »

Mes compagnons quittèrent le chenil,
les uns après les autres.

Il ne restait plus que moi, quand un homme se présenta :
« Bonjour, j'aurais besoin d'un chien. »
« Celui-ci vous convient-il ? » demanda la dame du chenil en me désignant.
« Il me semble parfait », répondit l'homme.

C'est ainsi que je fis mes adieux au chenil
et arrivai chez le fermier Martin.

Le fermier Martin vivait seul. La journée, il s'occupait de sa ferme.
Le soir, il soupait en écoutant de la grande musique.

Comme il ne me demandait rien, je ne compris pas
tout de suite ce qu'il attendait de moi.

Le premier matin, dans le pré, je courus à perdre haleine
autour de grosses bêtes à cornes, afin de les faire mettre en rang.

Mais ce n'était pas ce que le fermier Martin attendait de moi.
« Pouët! » cria-t-il. « Au pied! »

Ensuite, j'accompagnai le fermier Martin
dans un enclos tout contre la maison.
Il y avait là un grand nombre de bêtes à plume.
Aussitôt, je sautai sur la plus grosse d'entre elles et la portai
tant bien que mal aux pieds du fermier Martin.

Mais ce n'était pas encore ce que le fermier Martin attendait de moi.
« Lâche cette poule, Pouët ! » hurla-t-il.

L'après-midi, nous nous rendîmes dans un autre pré
qui s'étendait devant la ferme.

Il y avait là un énorme monstre qui avançait vers nous,
monté sur quatre grandes pattes.
Voulant porter secours à mon maître, je m'armai de tout mon courage
et sautai autour du monstre en aboyant de toutes mes forces.

Mais ce n'était toujours pas ce que le fermier Martin attendait de moi.
« Pouët ! » vociféra-t-il, « laisse le Vieux Cheval tranquille ! »

La fin de la journée arriva.
Voyant le fermier Martin grimper sur une très grosse voiture,
j'ai compris que c'était l'heure de la promenade.

Mais le fermier Martin avait déjà mis le contact et partait sans moi.

Je m'élançai à sa poursuite.

Le fermier Martin descendit
de sa grosse voiture.

Il m'attrapa par la peau du cou, et me porta,
tout crotté, jusqu'au seuil de sa maison.

« Pouët ! Pas bouger ! » ordonna-t-il
en claquant sur lui la porte à toute volée.

Quelques minutes plus tard, le fermier Martin vint me chercher.
Dans la salle de bains, il me savonna rudement
jusqu'à ce que toute la boue ait disparu.

Il faisait nuit maintenant.
Le fermier Martin soupait
en écoutant de la grande musique.
Je restais dans mon coin,
tout en tremblant encore de mon bain forcé.

Tout à coup, le fermier Martin se tourna vers moi et dit: « Pouët! Viens! »
D'un bond, je sautai sur ses genoux et m'y roulai en boule.
Là, il faisait bon et chaud…

… J'avais enfin compris ce que le fermier Martin attendait de moi !
Il se pencha et me dit, très doucement, en me grattant la tête :
« Tu vois, quand tu veux ! »